L'ÉVOCATION DU NOM LATIN "CAESAR" RENVOIE, DE FAÇON
QUASI UNIVERSELLE, AU SOUVENIR DU CÉLÈBRE HÉROS
QUI, IL Y A 2 000 ANS, A FONDÉ LES BASES DE L'EMPIRE ROMAIN.
MAIS COMBIEN SOMMES-NOUS À SAVOIR QUE L'HISTOIRE
A PORTÉ EN SON SEIN UN AUTRE "CÉSAR" ?
1 500 ANS AVAIENT PASSÉ DEPUIS L'AVÈNEMENT DE L'EMPIRE QUAND
VINT AU MONDE CET HOMME, BAPTISÉ "CESARE". DE L'ILLUSTRE
ANCÊTRE DONT IL PORTAIT LE NOM, IL AVAIT ÉGALEMENT
L'AMBITIEUX DESSEIN : UNIFIER LE CONTINENT EUROPÉEN.
TOUTE SA VIE DURANT, IL COMBATTIT POUR RAMENER, DANS UNE
ITALIE MORCELÉE, LA PAIX ET LA GLOIRE DE L'ANTIQUE EMPIRE...
IL S'APPELAIT CESARE BORGIA, ET VOICI SON HISTOIRE.

CAES·BORCIA·VALENTINVS

Virtù 1 : *Le vent de Pise*

NOVEMBRE 1491,
PISE, ITALIE.

DONG

CESARE
Il Creatore che ha distrutto

1

Fuyumi Soryo

a cura di
Motoaki Hara

PRÉAMBULE

PENDANT DES DÉCENNIES, L'EMPIRE ROMAIN, QUI S'ÉTENDAIT ALORS DE L'ANGLETERRE À L'AFRIQUE, RÉGNA SUR L'EUROPE ENTIÈRE. MAIS CETTE IMMENSE PUISSANCE COMMENÇA PEU À PEU À S'AFFAIBLIR. DANS UN ULTIME SURSAUT, ELLE RENIA SES DIEUX MILLÉNAIRES POUR FAIRE DU CHRISTIANISME, JUSQU'ALORS STRICTEMENT PROSCRIT, UNE RELIGION D'ÉTAT À LAQUELLE ELLE CONFIA SES DERNIERS ESPOIRS DE SURVIE. PROGRESSIVEMENT, L'ÉVÊQUE DE LA SAINTE VILLE DE ROME ACQUIT UN POUVOIR TOUT PARTICULIER... AINSI NAQUIT LE PAPE, CHEF DE TOUS LES CHRÉTIENS.

AVEC L'EFFONDREMENT DE L'EMPIRE, C'EST LE CENTRE POLITIQUE DU MONDE QUI DISPARUT. EN CES TEMPS DE GUERRE ET DE DIVISION, LA RELIGION DEVINT L'UNIQUE GARANTE D'UNE CERTAINE UNITÉ ENTRE LES PEUPLES D'EUROPE, LA SEULE FORCE CAPABLE DE LES DOMINER. DE CE FAIT, L'AUTORITÉ DU PAPE GAGNA DE PLUS EN PLUS D'AMPLEUR, AU POINT DE FAIRE OMBRAGE À CELLE DE L'EMPEREUR.

SI L'ÉVANGILE ENSEIGNE QUE "L'HOMME NE VIVRA PAS DE PAIN SEULEMENT", POLITIQUE ET ÉCONOMIE SONT DES ACTES PROFANES DONT LES PEUPLES NE PEUVENT SE DISPENSER. ON DÉCIDA DONC QUE L'ÉGLISE GOUVERNERAIT LE SPIRITUEL, ET QUE LES AFFAIRES DU RÉEL RELÈVERAIENT DU POUVOIR SÉCULIER. LE MONDE FUT DIVISÉ EN DEUX ENTITÉS DISTINCTES, RÉGIES PAR DES SYSTÈMES DE LOIS PROPRES : LE SACRÉ ET SON DROIT CANON, LE PROFANE ET SON DROIT CIVIL.

PAPE ET EMPEREUR : DE LA BONNE ENTENTE ENTRE CES DEUX ÊTRES DÉPENDAIT LE RENOUVEAU DE L'EMPIRE... MAIS PRÉSERVER LE FRAGILE ÉQUILIBRE DES FORCES N'ÉTAIT PAS CHOSE AISÉE !

LES PAPES OUBLIÈRENT LEURS VŒUX DE CHASTETÉ ET DE PAUVRETÉ POUR CÉDER AUX CHARMES DE LA VIE TERRESTRE, PERVERTISSANT LE RELIGIEUX ET PRIVANT LES HOMMES DU SOCLE DE LEUR CROYANCE. LE MONDE, ÉPUISÉ PAR DES GUERRES INCESSANTES, ÉTAIT EXSANGUE. AUCUN MONARQUE ASSEZ PUISSANT POUR MENER À BIEN L'UNIFICATION NE FIT SON APPARITION, ET L'EUROPE, DEVENUE UNE TERRE DE CONFLITS SANS FIN, POURSUIVIT SON MORCELLEMENT, TANDIS QU'UN VÉRITABLE CORTÈGE D'ARISTOCRATES DE TOUS LES PAYS CHERCHAIENT À ACCÉDER AUX SUPRÊMES DISTINCTIONS. LE MOYEN ÂGE REGORGE DE TELS PERSONNAGES, DÉBORDANTS D'AMBITION, AVIDES DE POUVOIR, S'AFFRONTANT DANS UN TOURBILLON D'INTRIGUES ET DE VIOLENCE DONT L'ITALIE ÉTAIT LE CENTRE.

LA RECHERCHE D'UNE ALTERNATIVE AU CHRISTIANISME VIEILLISSANT COMME PLANCHE DE SALUT EN CES TEMPS DE FOLIE GUERRIÈRE, TELLE EST L'IDÉE QUE VÉHICULE LE TERME "RENAISSANCE". UN HOMME UNIVERSEL, INSTRUIT, INSPIRÉ, AIMÉ DE DIEU : VOILÀ L'IDÉAL QUE PORTAIT CE VENT DE RENOUVEAU, DANS UN RETOUR À LA SAGESSE DE L'ANCIEN EMPIRE ET UNE FORME DE FOI EN L'HUMAIN.

EN CES TEMPS DE CHANGEMENT, L'ITALIE ESPÉRAIT LA NAISSANCE D'UN GÉNIE POLITIQUE, UN PRINCE DONT LE TALENT N'AURAIT RIEN À ENVIER À CELUI DES PLUS BRILLANTS DE SES ARTISTES, UN HOMME DONT L'ESPRIT, LA "VIRTÙ", SURPASSERAIT CELLE DE TOUS SES PAIRS.

8

VOTRE ARDEUR À ÉTUDIER EST LOUABLE, MAIS QU'ELLE NE VOUS DISPENSE PAS DE VOUS TENIR CONVENABLEMENT ! L'UNIVERSITÉ FOURMILLE DE JEUNES GENS DE BONNE FAMILLE, TÂCHEZ DE VOUS COMPORTER EN CONSÉQUENCE...

VOUS ÊTES ENCORE RESTÉ LE NEZ DANS VOS LIVRES TOUTE LA NUIT, J'IMAGINE...

ET SURTOUT, PAS D'IMPOLI-TESSE SI VOUS CROISEZ SON EXCELLENCE GIOVANNI DE MÉDICIS !

RAPPELEZ-VOUS QU'IL EST L'HÉRI-TIER DE MESSIRE LORENZO*, À QUI VOTRE GRAND-PÈRE DOIT TANT !

JE SAIS... SI UN GUEUX COMME MOI A ÉTÉ ADMIS À L'UNIVERSITÉ "LA SAPIENZA", C'EST GRÂCE AUX BONS SOINS DE MESSIRE LORENZO !

* LORENZO DE MÉDICIS : GRAND BANQUIER ITALIEN, DÉTENTEUR EFFECTIF DU POUVOIR À FLORENCE ET À PISE. FIN CONNAISSEUR DES ARTS ET DES LETTRES, IL PATRONNA DE NOMBREUX SCIENTIFIQUES ET ARTISTES DE TALENT.

NOTRE UNIVERSITÉ EN-SEIGNE LA THÉOLOGIE, LE DROIT CANONIQUE ET CIVIL, MAIS AUSSI LA MÉDECINE, L'HISTOIRE, LA PHILOSOPHIE, LES MATHÉMATIQUES...

JE VAIS TE FAIRE VISITER LES LIEUX !

LES COURS DE DROIT CANON, SPÉ-CIALITÉ À LAQUELLE TU TE DESTINES, SE TIENNENT AU PREMIER ÉTAGE, DANS LA SALLE SITUÉE AU BOUT DU COULOIR, LE MATIN, DE 6 À 9 HEURES...

DES CERCLES D'ÉTU-DIANTS ?

POUR LE DÎNER, L'USAGE VEUT QUE LES ÉTUDIANTS SE RASSEMBLENT EN CERCLES, SELON LEUR RÉGION D'ORIGINE, AFIN DE PAR-TAGER LEUR REPAS... J'AI DONC PRIS LA LIBERTÉ DE T'INSCRIRE AUPRÈS DE LA "FIORENTINA" ! VIENNENT ENSUITE LES COURS DU SOIR...

ET LA SESSION DE L'APRÈS-MIDI A LIEU DE 15 À 18 HEURES !

C'EST QUE... JE N'AI JAMAIS ÉTÉ TRÈS AU FAIT DE LA VIE MONDAINE...

TU N'EN AS JAMAIS ENTENDU PARLER ?

!

DE... DE QUOI S'AGIT-IL, AU JUSTE ?

AH!

ET SURTOUT, PAS D'IMPOLITESSE SI VOUS CROISEZ SON EXCELLENCE GIOVANNI DE MÉDICIS !

MESSIRE GIOVANNI !

MES-SIRE !

D... DÉSOLÉ !

DÉCIDÉMENT, TU AS ENCORE BEAUCOUP À APPRENDRE...

TU NE CONNAIS PAS LES CERCLES D'ÉTUDIANTS ?

D'AUTANT QUE TU ES DÉSORMAIS MEMBRE DE LA FIORENTINA, JE SUPPOSE... RAISON DE PLUS POUR FAIRE PREUVE DE RESPECT ENVERS SON EXCELLENCE !

AT-TENDS...

!

C'EST QUOI, AU JUSTE, CETTE "FIORENTINA" ?

EN CAS DE DIFFICULTÉ, TON PREMIER RÉFLEXE SERA DE TE TOURNER VERS TON CERCLE... IL EST CAPABLE DE RÉSOUDRE BIEN DES PROBLÈMES !

ILS JOUENT UN RÔLE PRIMORDIAL POUR PERMETTRE À CHACUN DE TRAVAILLER EN TOUTE SÉRÉNITÉ !

ALORS ÉCOUTE BIEN : LES CERCLES SONT DES ASSOCIATIONS FORMÉES EXCLUSIVEMENT D'ÉTUDIANTS, QUI SE REGROUPENT SELON LEUR RÉGION D'ORIGINE...

POUR LA FIORENTINA, C'EST BIEN ÉVIDEMMENT SON EXCELLENCE GIOVANNI, DE LA MAISON DES MÉDICIS, QUI ENDOSSE CETTE RESPONSABILITÉ !

LA PLUPART DU TEMPS, C'EST UN ÉTUDIANT ISSU D'UNE FAMILLE INFLUENTE DE LA RÉGION CONCERNÉE QUI EN EST ÉLU REPRÉSENTANT...

LUI, C'EST MICHELOTTO DA CORELLA, LE NUMÉRO TROIS DE LEUR CERCLE !

OUI, EN PLUS DE LA FIORENTINA, IL EXISTE DES CERCLES REGROUPANT DES FRANÇAIS, DES ALLEMANDS, DES MILANAIS, DES NAPOLITAINS, DES SICILIENS... ET DES ESPAGNOLS.

EUX AUSSI ONT UN CERCLE ?

C'EST MICHELOTTO, DU CERCLE DES ESPAGNOLS !

BONJOUR, ROBERTO !

BONJOUR, MICHELOTTO !

CESARE BORGIA, LE FILS DU CARDINAL !

ET QUI EST LE NUMÉRO UN ?

CE NOM ME DIT QUELQUE CHOSE...

BORGIA ?

CESARE N'EST PAS AVEC VOUS ?

AVANT QU'IL N'ARRIVE ICI, MESSIRE GIOVANNI JOUISSAIT D'UNE SUPRÉMATIE QUASI ABSOLUE, MAIS À PRÉSENT...

UNE FAMILLE D'ARISTOCRATES D'ORIGINE ESPAGNOLE, QUI A AUTREFOIS COMPTÉ UN PAPE DANS SES RANGS !

HA HA ! COMME D'HABITUDE...

IL FAUT CROIRE QU'IL N'ÉTAIT PAS D'HUMEUR À ÉTUDIER, AUJOURD'HUI !

CESARE EST UN PEU COMME UN BATEAU... IMPOSSIBLE DE L'AMARRER UN JOUR DE BEAU TEMPS OÙ LE VENT SOUFFLE DANS SES VOILES !

HEIN ?!

ET MALGRÉ CELA, IL A UNE CULTURE À FAIRE PÂLIR N'IMPORTE QUEL INTELLECTUEL. C'EST LE SEUL À POUVOIR RIVALISER AVEC MESSIRE GIOVANNI !

À LA DIFFÉRENCE DE NOTRE STUDIEUSE EXCELLENCE, CESARE EST D'UN NATUREL CAPRICIEUX ! IL ASSISTE AUX COURS QUAND ÇA LUI CHANTE...

DONG

...

TU VEUX DIRE QUE LUI AUSSI A DES CHANCES DE DEVENIR CARDINAL ?

DONG

DONG

AH ! LA LEÇON VA COMMENCER... DÉPÊCHONS-NOUS !

J'AIMERAIS AUJOURD'HUI ENTENDRE VOTRE POINT DE VUE, EN TANT QUE BONS CHRÉTIENS, SUR LE SORT DES ÂMES DÉFUNTES !

APRÈS SON DÉCÈS, QUI SERAIT À VOTRE AVIS LE PLUS APTE À CONDUIRE SES FUNÉRAILLES ?

IMAGINONS LE CAS D'UN SOUVERAIN ...

PAR CONSÉQUENT, LAISSER AU SUCCESSEUR LA CHARGE DE CONDUIRE LES FUNÉRAILLES DEVANT UN TEL PORTRAIT SERAIT UNE INSULTE À LA MÉMOIRE DU MONARQUE !

EUH... EXCUSEZ-MOI...

...

MERCI POUR CETTE DÉMONSTRATION LIMPIDE !

PARFAIT, GIOVANNI...

!

25

MAGNI-FIQUE !

TELLE DEVRAIT ÊTRE L'ATTITUDE DE L'HOMME D'ESPRIT UNIVERSEL !

VOILÀ UNE DÉMARCHE TRANSVERSALE DIGNE DE LOUANGES !

LA RECHERCHE DE LA VÉRITÉ À TRAVERS L'OBSERVATION DES ARTS...

D'OÙ EST-CE QU'IL SORT, CELUI-LÀ ?

...

BLA BLA さッか さッか

UN HOMME D'ESPRIT UNIVERSEL, RIEN QUE ÇA...

PAR TA FAUTE, SON EXCELLENCE S'EST COUVERTE DE HONTE ! C'EST UNE CATASTROPHE !

MAIS TOI, TU DÉBARQUES, ET NON CONTENT DE LUI OPPOSER TA THÉORIE, VOILÀ QU'EN PLUS TU RAFLES LES ÉLOGES !

EN TANT QUE MEMBRES DE LA FIORENTINA, NOTRE RÔLE CONSISTE ÉVIDEMMENT À METTRE SON OPINION EN VALEUR...

LORSQUE LE PROFESSEUR POSE UNE QUESTION, SON EXCELLENCE RÉPOND EN PREMIER...

CE N'ÉTAIT PAS DU TOUT MON INTENTION !

IL N'EST PEUT-ÊTRE PAS TROP TARD POUR LUI PRÉSENTER TES EXCUSES !

QUEL IMBÉCILE JE FAIS ! MESSIRE LORENZO M'OFFRE UNE CHANCE INESPÉRÉE D'ÉTUDIER DANS CETTE UNIVERSITÉ, ET MOI, COMME UN IDIOT...

JE GÂCHE TOUT DÈS LE PREMIER JOUR !

...

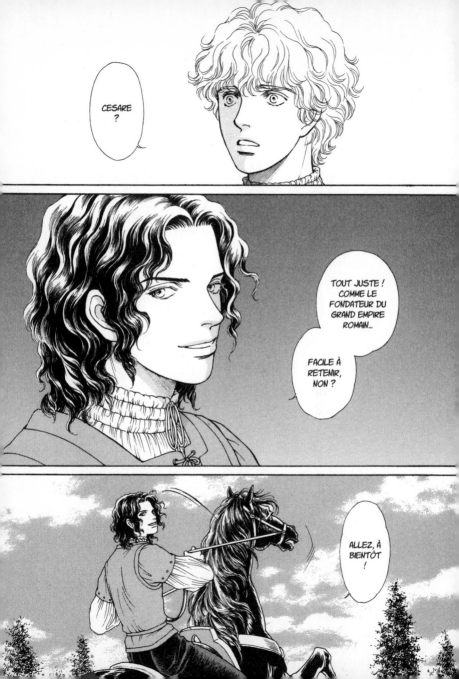

LE VOILÀ REPARTI ...

SON EXCELLENCE GIOVANNI M'A CHARGÉ DE VOUS TRANS-METTRE UN MESSAGE !

JE VOUS ATTENDAIS ! MON NOM EST PAULO ...

SEIGNEUR ANGELO !

JE T'ÉCOUTE ...

SI VOUS VOULEZ BIEN ME SUIVRE ...

J'AI POUR MISSION DE VOUS Y ES-CORTER !

EN L'HONNEUR DE VOTRE ARRIVÉE, LA FIORENTINA SE RÉUNIRA CE SOIR AUTOUR D'UN DÎNER DANS LA DEMEURE DES MÉDICIS !

UN DÎNER ?

Virtù 2 : Cheval sauvage

PAR ICI,
JE VOUS
PRIE...

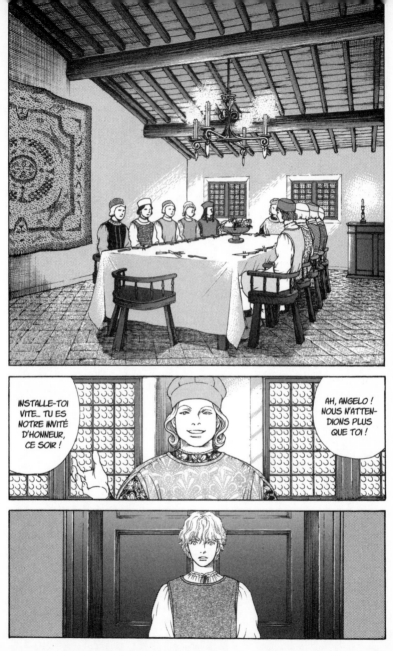

INSTALLE-TOI VITE... TU ES NOTRE INVITÉ D'HONNEUR, CE SOIR !

AH, ANGELO ! NOUS N'ATTENDIONS PLUS QUE TOI !

À COMPTER DE CE JOUR, NOUS AURONS TOUS À CŒUR DE TE VOIR BRILLER, À L'INSTAR DE TES CONDISCIPLES FLO-RENTINS...

C'EST POURQUOI NOUS AVONS VOULU NOUS RETROUVER ENTRE NOUS, AFIN DE FÊTER DIGNEMENT TON ARRIVÉE !

IL TE FAUT PRENDRE DES FORCES... MANGE ET BOIS JUSQU'À PLUS SOIF !

!

CE SONT DES MACCHERONI ! ON EN TROUVE RARE-MENT, PAR ICI... MAIS C'EST UN METS TRÈS COURU À NAPLES ET EN SICILE !

CHOMP !!°.

IL S'AGIT DE PÂTES SÈCHES, BOUILLIES PUIS NAPPÉES DE SAUCE... ON LES DÉ-GUSTE AINSI, EN LES ENROULANT AUTOUR DE SA FOUR-CHETTE !

SI J'AI BIEN COMPRIS, RÉMUS LUI AURAIT APPARTENU JADIS...

CESARE... DE LA MAISON DES BORGIA ?

C'EST POURQUOI IL A SU CALMER SA FOUGUE !

OUI...

C'EST UN CHEVAL D'UNE GRANDE BEAUTÉ, MAIS...

SON CARACTÈRE FAROUCHE JOUE EN SA DÉFAVEUR !

C'EST VRAI... RÉMUS ÉTAIT EN EFFET UN CADEAU DE CESARE.

CLANG

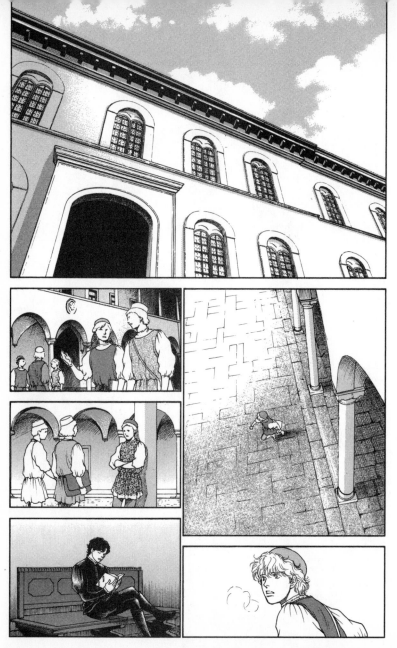

TOUJOURS AUSSI MATINAL, MIGUEL* !

ET TOI, QUELLE MOUCHE T'A PIQUÉ ? TE VOIR DANS CETTE ENCEINTE À CETTE HEURE-CI, VOILÀ QUI RELÈVE DU MIRACLE !

UNE SOUDAINE ET IRRÉPRESSIBLE ENVIE DE DÉBATTRE AVEC NOS VÉNÉRABLES PRÉCEPTEURS...

JE VAIS TOUS LES HUMILIER !

* MIGUEL : ÉQUIVALENT ESPAGNOL DE MICHELOTTO.

MESSIRE CESARE...

LORS D'UN DÎNER DE LA FIORENTINA...

LA QUESTION S'EST POSÉE DE SAVOIR SI JE SERAIS CAPABLE DE DOMPTER UNE MONTURE TELLE QUE RÉMUS...

À QUOI DIABLE CELA TE SERVIRAIT-IL ?

MAIS...

CE N'EST PAS TON CHEVAL, QUE JE SACHE !

C'EST QUE...

ET DE FIL EN AIGUILLE, SON EXCELLENCE GIOVANNI M'A INCITÉ À RELEVER LE DÉFI...

!

DANS CE CAS, LA LOGIQUE VOUDRAIT QUE TU APPRENNES SOUS SA HOULETTE !

CETTE AFFAIRE RELÈVE DE VOTRE CERCLE ! JE NE VOIS PAS POURQUOI UN ÉTRANGER COMME MOI S'EN MÊLE-RAIT...

HMM ...

LA CAVALERIE DU ROYAUME DE FRANCE A COUTUME DE S'ARMER LOURDEMENT ! SES SOLDATS MONTENT AVEC CUIRASSES ET BOUCLIERS...

LEURS MONTURES SONT VRAIMENT SI DIFFÉRENTES DE LA VÔTRE ?

SEULS DES CHEVAUX MASSIFS ET PUISSANTS PEUVENT SUPPORTER UN TEL FARDEAU !

J'IGNORAIS QU'IL EXISTAIT TANT DE RACES...

LES ANDALOUS, NÉS DU CROISEMENT DE CHEVAUX DE COURSE ARABES AVEC DES BÊTES D'ORIGINE ESPAGNOLE, CROULERAIENT LITTÉRALEMENT SOUS UN POIDS PAREIL !

OH... CES DESTRIERS FRANÇAIS SONT FANTASTIQUES !

LE MOT "FRANCE"...

TIRE SON ORIGINE DU NOM DE L'ARME DE JET QUE MANIAIENT LEURS ANCÊTRES BARBARES !

PUISQU'ILS AIMENT LES LANCES AU POINT D'EN PORTER LE NOM !

GRAND BIEN LEUR FASSE...

QUOI ?

MAIS LES TEMPS CHANGENT !

LEURS CAVA-LIERS, ENGONCÉS DANS LEURS LOURDES ARMURES, SONT PEU HABILES AU CORPS À CORPS... ILS PRÉFÈRENT FRAPPER À DIS-TANCE, EN JOUANT DU JAVELOT !

ON RACONTE D'AILLEURS QUE LES FRANCS ONT JADIS DONNÉ BIEN DU FIL À RETORDRE AUX TROUPES RO-MAINES, TANT LEUR TECHNIQUE ÉTAIT REDOUTABLE...

SEIGNEUR CESARE ! SEIGNEUR MIGUEL !

PAR ICI !

LA FIORENTINA SIÈGE PAR LÀ-BAS !

JE CRAINS QUE TU NE TE TROMPES DE TABLE, ANGELO !

D... DÉSOLÉ !

AH !

VOIR LES FLORENTINS PEINER POUR UN PROFIT, SE PÂMER DEVANT UNE ÉTOFFE DE LUXE OU BAVER D'ENVIE DEVANT UN LIVRE DÉPASSE NOTRE ENTENDEMENT !

À LA DIFFÉRENCE DE VOUS AUTRES MARCHANDS, NOUS LES FRANÇAIS TENONS LE CONFLIT POUR GLORIEUX !

HA HA HA !

LIBRE À VOUS DE VOUS POMPONNER TELLES DES FEMMES, DE VOUS ENIVRER DE LECTURES, DE FESTOYER DES NUITS DURANT...

MAIS C'EST À CHEVAL, LES ARMES À LA MAIN, QUE LES VRAIS HOMMES PROUVENT LEUR VALEUR !

EXCUSEZ-MOI !

LE MOT "FRANCE" TIRE SON ORIGINE DU NOM DE L'ARME DE JET QUE MANIAIENT LEURS ANCÊTRES BARBARES !

LES FRANÇAIS COMBATTENT-ILS TOUJOURS À L'AIDE DE LANCES, AUJOURD'HUI ?

PFFFF!

ET QU'AUTREFOIS, SON PEUPLE METTAIT À PROFIT SA CARRURE POUR MANIER D'IMPOSANTS JAVELOTS ! EST-CE TOUJOURS LE CAS, DE NOS JOURS ?

ON M'A DIT QUE LE MOT "FRANCE" TIRAIT SON ÉTYMOLOGIE D'UNE CERTAINE ARME DE JET...

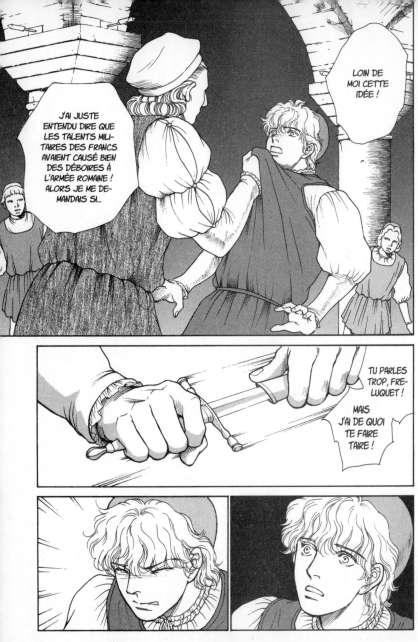

RENGAINE
DONC CE
POIGNARD

...

UNE SI
TRIVIALE ANEC-
DOTE MÉRITE-
T-ELLE TA
COLÈRE ?

RESTE EN DEHORS DE ÇA !

C'EST UNE AFFAIRE ENTRE FRANÇAIS ET FLORENTINS !

COMMENT OSES-TU ?!

DD PAF

CLANG

CLANG

CET INCIDENT NE CONCERNE PAS LA TABLE DES ESPAGNOLS, SOIT...

MAIS DANS CETTE AUBERGE, C'EST LE VIN, ET NON LE SANG, QUI DOIT COULER À FLOTS !

J'AIMERAIS JUSTE QUE TU RESPECTES LES CONVENANCES !

TU PLAISANTES, J'ESPÈRE !!

TU VOUDRAIS QUE JE RESTE SANS BRONCHER ALORS QU'ON TRAITE MON PEUPLE DE TRIBU ARRIÉRÉE JUSTE BONNE À JETER DES LANCES ?!

EN TANT QUE DESCENDANTS DE LEUR VÉNÉRABLE EMPEREUR, POURQUOI LA MENTION DE CETTE NOBLE ARME VOUS IRRITE-T-ELLE À CE POINT ?

MA LANCE À MOI N'A RIEN À ENVIER À CELLE DE LA SAINTE LÉGENDE !

POUR MA PART, J'AI UNE PRÉFÉRENCE POUR LA JOUTE CONTRE LA GENT FÉMININE ! DANS CE DOMAINE...

MESSIRE
CESARE !

BON SANG !

UNE FOIS ENCORE, J'AI MANQUÉ À TOUS MES DEVOIRS ENVERS SON EXCELLENCE !

MESSIRE LORENZO EST ASSEZ BON POUR M'OFFRIR LA CHANCE D'ENTRER À L'UNIVERSITÉ... ET MOI, DEPUIS MON ARRIVÉE, JE PASSE MON TEMPS À METTRE SON FILS DANS L'EMBARRAS !

TU ES LIÉ À LA FAMILLE MÉDICIS ?

ANGELO ...

INDIRECTEMENT ...

MON GRAND-PÈRE ÉTAIT TAILLEUR DE PIERRES... IL TRAVAILLAIT SOUVENT AU PALAIS DES MÉDICIS !

MESSIRE LORENZO M'A PRIS EN SYMPATHIE, ET IL A PERMIS QUE JE FRÉQUENTE CETTE UNIVERSITÉ ! C'EST AINSI QUE JE SUIS ARRIVÉ À PISE...

ET DEPUIS, JE NE CESSE D'ATTIRER LA HONTE SUR SON EXCELLENCE !

NE T'ACCABLE PAS TROP... APRÈS TOUT, LES CHOSES N'ONT PAS SI MAL TOURNÉ !

POUR L'INSTANT, DU MOINS...

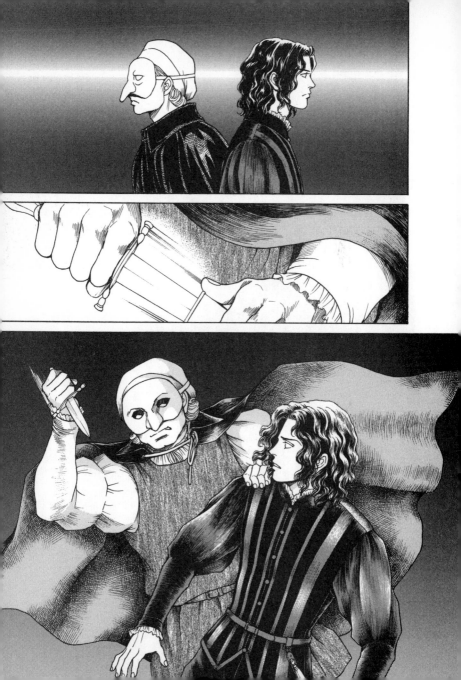

FAITES-MOI SORTIR DE LÀ !

ANGELO... TU CROIS VRAIMENT QUE L'HEURE EST AUX ABLUTIONS ?!

SORTEZ-MOI DE LÀ ! JE NE SAIS PAS NAGER !

JE... JE SUIS TOMBÉ PENDANT LE COMBAT !

PLOUF
PLOUF

ÇA VA ALLER ?

KOF

KOF

J... JE CROIS QUE OUI...

TU ES COMPLÈTEMENT TREMPÉ !

NOUS ALLONS PASSER CHEZ MOI ...

JE VAIS TE DONNER DES VÊTEMENTS SECS... ET DU VIN, IL FAUT TE RÉCHAUFFER !

CHEZ VOUS, SEIGNEUR CESARE ?

!

SI LA TENUE VOUS CONVIENT, MESSIRE CESARE SOUHAITE QUE VOUS LE REJOIGNIEZ DANS LE GRAND SALON ...

J... J'ARRIVE !

C'EST QUE... J'ÉTAIS SUB-JUGUÉ PAR LA MAGNIFICENCE DE CET EN-DROIT...

ON SE CROIRAIT DANS UN PALAIS !

POURQUOI RESTES-TU PLANTÉ LÀ, BOUCHE BÉE ?

APPROCHE ! LE VIN NOUS ATTEND !

JAMAIS ENCORE JE N'AVAIS PORTÉ UNE SOIE D'UNE TELLE DOUCEUR !

ET CES VÊTE-MENTS...

LES BORGIA SONT VERSÉS DANS LE COM-MERCE AVEC L'ORIENT...

ET DE CE FAIT, PARTICULIÈ-REMENT REGAR-DANTS SUR LES SOIERIES !

Virtù 4 : Présage de tempête

BIEN SÛR, C'EST LUI QUI L'A FAIT CARDINAL... ET QUAND IL EST MORT, MON PÈRE A USÉ DE SON IMMENSE RICHESSE POUR SE MAINTENIR AU POUVOIR...
C'EST UN HOMME AVIDE.
S'IL M'A INSTALLÉ DANS CETTE DEMEURE D'ARCHEVÊQUE BIEN QUE JE N'EN AIE PAS LA DIGNITÉ, CE N'EST QU'UNE MANŒUVRE DE PLUS POUR PLACER SES PIONS...
CHACUNE DE SES ACTIONS VISE À ASSEOIR LE NOM DES BORGIA !

ET NON CONTENT DE PATRONNER MON GRAND-PÈRE, IL S'EST AUSSI SOUCIÉ DE MON ÉDUCATION... POUR TOUT CELA, JE LUI SUIS INFINIMENT RECONNAISSANT !

ALORS, LORSQUE MESSIRE LORENZO L'A ENGAGÉ À SON SERVICE, J'AI ÉTÉ HEUREUX COMME SI C'ÉTAIT MES PROPRES TALENTS QUE L'ON LOUAIT !

JE COMPRENDS...

LES MURS, LE MOBILIER... TOUT EST SI TRAVAILLÉ, D'UNE FINITION SI PARFAITE ! C'EST VRAIMENT DE LA BELLE OUVRAGE !

MAIS JE RESTE ÉBLOUI PAR CETTE DEMEURE...

HEIN ?

ANGELO... À L'AVENIR, MIEUX VAUT PEUT-ÊTRE QUE TU NE REVIENNES PLUS ICI...

CE N'EST PAS CE QUE JE VEUX DIRE...

AH ! VOUS AVEZ RAISON... UN MANANT COMME MOI N'A RIEN À FAIRE DANS UN ENDROIT COMME CELUI-CI ! IL FAUT QUE J'APPRENNE À RESTER À MA PLACE !

JE CROIS PLUTÔT QUE FRÉQUENTER CETTE MAISON POURRAIT ALLER À L'ENCONTRE DE TES INTÉRÊTS...

CETTE RÉGION ÉCHAPPE AU CONTRÔLE DE GIOVANNI...

NOUS NOUS TROUVONS DANS L'ARCHEVÊCHÉ DE PISE, SOUS L'AUTORITÉ DU PRÉLAT RAFFAELE RIARIO !

JE NE COMPRENDS PAS...

POURQUOI DONC ?

SI LE BRUIT SE RÉPAND QU'UN MEMBRE DE LA FIORENTINA FRÉQUENTE LA DEMEURE DE L'ARCHEVÊQUE RIARIO, L'AFFAIRE RISQUE DE FAIRE DES VAGUES, TU NE CROIS PAS ?

154

LE JOUR SE LÈVE ...

MIGUEL, TU VAS ESCORTER NOTRE HÔTE JUSQUE CHEZ LUI !

L'HEURE N'EST PLUS TRÈS PROPICE AUX AGRESSIONS...

NE TE TRACASSE PAS... APRÈS TOUT CE VIN, UNE PETITE MARCHE ME FERA LE PLUS GRAND BIEN !

JE PEUX TRÈS BIEN RENTRER TOUT SEUL !

NE PRENEZ PAS CETTE PEINE !

TU AS TORT... ARPENTER LES RUES DÉSERTES AUX PREMIÈRES HEURES DU JOUR N'A RIEN DE DÉSAGRÉABLE !

ET PUIS, CESSE DE ME DONNER DU "MICHELOTTO" ! UTILISE PLUTÔT MON VRAI NOM, "MIGUEL"... CHEZ MOI, EN ESPAGNE, TOUT LE MONDE M'APPELLE COMME ÇA !

JE SUIS NAVRÉ DE VOUS AVOIR FAIT DÉPLACER, SEIGNEUR MICHELOTTO ...

"MIGUEL" TOUT COURT SUFFIRA.

HMM ...

SEI-GNEUR MIGUEL ...

...

JE NE FAIS PAS PARTIE DE VOTRE CERCLE ! ET POUR-TANT, JE PORTE LES VÊTEMENTS DU SEIGNEUR CESARE...

JE PROFITE DE VOTRE COMPA-GNIE...

?

QU'EST-CE QUI T'ARRIVE ?

J'AI SUBITEMENT L'IMPRESSION D'ÊTRE TERRI-BLEMENT... PRÉ-SOMPTUEUX !

JE ME DEMANDAIS SI TOUT CELA ÉTAIT BIEN CONVE-NABLE...

RIEN, JE...

DEPUIS SON PLUS JEUNE ÂGE, DES TUTEURS DÉSIGNÉS PAR MESSIRE RODRIGO L'AVAIENT ÉLOIGNÉ DE SA MÈRE POUR PRENDRE SON ÉDUCATION EN MAIN...

IL AVAIT SEPT ANS, LUI AUSSI...

LORSQU'IL A PRIS CONSCIENCE DU POTENTIEL EXCEPTIONNEL DE CESARE, SON PÈRE A TOUT MIS EN ŒUVRE POUR QU'IL REÇOIVE UNE ÉDUCATION STRICTE, APTE À DÉVELOPPER SES TALENTS...

QUITTE À LE PRIVER DE L'AFFECTION DE SA FAMILLE.

HMM... À BIEN Y RÉFLÉCHIR, VOS PARCOURS SE RESSEMBLENT UN PEU !

!

VOILÀ CE QUI A VALU À MESSIRE RODRIGO LA RÉPUTATION DE MONSTRE... ET À DAME VANNOZZA CELLE DE CATIN !

À FORCE DE LARGESSES, IL A FINI PAR FAIRE PLIER SES PLUS FAROUCHES OPPOSANTS, JUSQU'AU PAPE LUI-MÊME QUI A RECONNU LA LÉGITIMITÉ DE SON FILS !

MÊME SI LES REGISTRES DONNAIENT OFFICIELLEMENT UN AUTRE PÈRE À CESARE, RODRIGO ÉTAIT BEL ET BIEN SON GÉNITEUR...

...

169

JE N'HÉSI-
TERAIS PAS
À TE TUER
!

ANGELO !

TU NOUS AS FAIT UNE SACRÉE FRAYEUR, HIER SOIR... UN INSTANT, J'AI BIEN CRU QUE ÇA ALLAIT TOURNER AU PUGILAT !

...

J'AI EU PEUR QUE LES FRAN-ÇAIS TE SOIENT TOMBÉS DES-SUS À BRAS RACCOURCIS !

TU N'AS PAS ÉTÉ INQUIÉTÉ, AU RETOUR ?

IL PARAÎT QU'ON A EN-TENDU CRIER DU CÔTÉ DU PONT...

QUOI
?!

TU ES
ENTRÉ DANS
LA RÉSIDENCE
DES BORGIA
?!

ET J'AI CHUTÉ
DANS LE FLEUVE
EN CONTREBAS !
COMME J'ÉTAIS
TREMPÉ, MESSIRE
CESARE M'A
PRÊTÉ DE QUOI
ME CHANGER...

OUI
...

SUR
LA ROUTE, UN
GROUPE D'HOM-
MES MASQUÉS
NOUS A ATTAQUÉS !
L'UN D'EUX M'A
BOUSCULÉ...

MAIS SURTOUT,
NE MENTIONNE EN
AUCUN CAS QUE
TU AS MIS LES
PIEDS DANS SA
DEMEURE !

TU PEUX
RAPPORTER
À SON EXCEL-
LENCE QUE
LE SEIGNEUR
CESARE T'A
PORTÉ SE-
COURS...

...

PARCE QU'IL S'AGIT DU TERRITOIRE DE L'ARCHEVÊQUE ! SANS COMPTER QUE L'ACTUEL PRÉLAT DU DIOCÈSE EST ISSU DE LA FAMILLE RIARIO !

POURQUOI DEVRAIS-JE LUI CACHER ?

AH OUI, LE FAMEUX ARCHEVÊQUE RIARIO...

SON ONCLE, LE SEIGNEUR GIULIANO, A ÉTÉ TUÉ LORS DE CES TROUBLES !

LA FAMILLE RIARIO A ÉTÉ IMPLIQUÉE DANS UN COMPLOT VISANT À ASSASSINER LE PÈRE DE SON EXCELLENCE...

!

ET QU'EST-CE QUE CETTE FAMILLE A DE SI PARTICULIER ?

UNE RIVALITÉ ?

TU... TU NE SAIS RIEN DE LA RIVALITÉ QUI OPPOSE LES MÉDICIS AUX RIARIO ?!

176

VLOM

CA ALORS...

NON, JE N'EN SAVAIS RIEN...

JE COMPRENDS MIEUX !

PAF

!

NICCOLÒ !

EH ! QU'EST-CE QUI VOUS ARRIVE ?

TU DOIS TE
RELEVER PAR
TOI-MÊME !

N'ACCEPTE
AUCUNE
MAIN TEN-
DUE...

LA PLUPART D'ENTRE EUX FRÉQUENTENT LA FACULTÉ DE THÉOLOGIE...

CE SONT DES PRÊ-CHEURS DE L'ORDRE DOMINICAIN...

CET HOMME EST BLESSÉ !

DES PRÊ-CHEURS ?

POUR PROUVER LEUR FOI, ILS S'IMPOSENT DES AUSTÉRITÉS... ON RACONTE QU'ILS SE FLAGELLENT LE DOS JUSQU'AU SANG !

C'EST SANS DOUTE AINSI QUE CELUI QUI VIENT DE CHUTER S'EST BLESSÉ...

LE PLUS SAGE EST ENCORE DE LES ÉVITER...

CE SONT TOUS DES DISCIPLES DE SAVONAROLE !

...

SAVONAROLE ? ÇA NE ME DIT RIEN...

UN SINISTRE FANATIQUE ! IL EST APPARU À FLORENCE DU JOUR AU LENDEMAIN, ET IL S'EST MIS À HARANGUER LES FOULES, VITUPÉRANT CONTRE LA RÉUSSITE DES MÉDICIS DANS LE BUT D'AGITER LE PEUPLE...

SÛR QUE SOUS LEURS CAPUCHONS, CEUX-LÀ AUSSI LES MAUDISSENT !

Vertù 5 : Fruit mûr

DONC SI JE COMPRENDS BIEN, ICI, LE POUVOIR EST DIVISÉ ENTRE TROIS FACTIONS DISTINCTES...

EXACTEMENT ! LA PREMIÈRE EST CELLE DE L'ARCHEVÊQUE DE PISE, RAFFAELE RIARIO, DONT JE TE PARLAIS TOUT À L'HEURE...

ENSUITE VIENT LA FAMILLE MÉDICIS, AVEC À SA TÊTE MESSIRE LORENZO, BIENFAITEUR DE CETTE UNIVERSITÉ ...

ET ENFIN, IL Y A LES FRÈRES DE L'ORDRE DOMINICAIN, AUQUEL APPARTIENNENT CES ÉTUDIANTS QUE NOUS VENONS DE CROISER.

JE VAIS ESSAYER DE T'EXPLIQUER DE FAÇON SIMPLE COMMENT FONCTIONNE CETTE VILLE, ALORS TÂCHE DE TE CONCENTRER !

LÀ, LA ZONE QUE CONTRÔLE L'ARCHE-VÊQUE...

DISONS QU'ICI, C'EST LA ZONE OÙ RÉSIDE SON EXCELLENCE...

ET VOICI LE FLEUVE ARNO !

AVEC AU CENTRE, SA RÉSIDENCE, ACTUELLEMENT OCCUPÉE PAR CESARE ! ÇA, C'EST L'UNI-VERSITÉ...

COMME TU LE VOIS, L'ESSENTIEL DES COMMERCES ET DES LOGEMENTS DES MEMBRES DE LA FIORENTINA EST CONCENTRÉ À L'EST, PRÈS DE LA RIVE, DANS LA ZONE D'INFLUENCE DE SON EXCELLENCE...

EN REVANCHE, LA ZONE OUEST, OÙ RÉSIDE CESARE, EST PRESQUE ENTIÈREMENT COUVERTE DE CHAMPS ET DE TERRES EN FRICHE... UN VRAI DÉSERT !

ÉVIDEMMENT, C'EST À PROXIMITÉ DE L'UNIVERSITÉ ET DE LA CATHÉDRALE... MAIS L'ENDROIT JOUXTE LE CIMETIÈRE ! QU'ON PUISSE CHOISIR DE VIVRE AU MILIEU DES TOMBES, MOI, ÇA ME DÉPASSE...

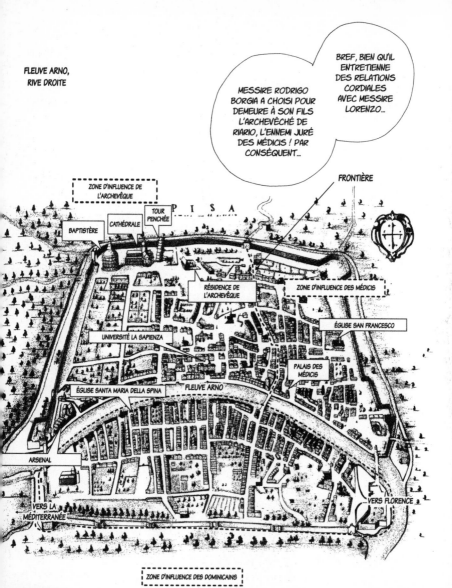

ATTENDS !

ET LES BORGIA, EUX, SONT EN BONS TERMES AVEC LES RIARIO... MAIS EN CONFLIT AVEC LES DELLA ROVERE ?

SI J'AI BIEN SUIVI, LA FAMILLE DELLA ROVERE EST LIÉE À LA FAMILLE RIARIO ...

POUR MESSIRE RODRIGO BORGIA, QUI ASPIRE LUI AUSSI À SUCCÉDER AU SOU-VERAIN PONTIFE, IL EST DONC LE PLUS REDOUTABLE DES RIVAUX !

OUI, POUR UNE RAISON TOUTE SIMPLE ! LES DELLA ROVERE SONT LES PREMIERS SOUTIENS DE L'ACTUEL SAINT-PÈRE...

ET LE BRUIT COURT QUE GIULIANO VISE LUI-MÊME LA TIARE LORS DU PROCHAIN CONCILE !

C'EST GRÂCE À L'APPUI DU CAR-DINAL GIULIANO, CHEF DU CLAN DELLA ROVERE, QUE LE PAPE INNOCENT VIII A ÉTÉ ÉLU...

COMME LUI, IL EXCELLE DANS LES ARTS ET LES ARMES, BRILLE PAR SON INTELLIGENCE ET SON APPARENCE... LA RUMEUR LEUR PRÊTE À TOUS DEUX PLUS DE CONQUÊTES QU'IL N'Y A DE FEMMES À PISE !

MAIS ILS ONT DES CARACTÈRES DIAMÉTRALEMENT OPPO-SÉS...

JE VOIS...

MESSIRE RODRIGO EST UN HOMME CALME ET POSÉ, ALORS QUE GIULIANO TRANS-PIRE LA FIERTÉ ET L'ARROGANCE !

ET DE L'AUTRE CÔTÉ DU FLEUVE, ALORS, QUI EST-CE QUI DÉTIENT LE POUVOIR ?

SUR L'AUTRE RIVE...

S'ÉTEND LE QUARTIER DE KINZICA, LE REPAIRE DES MARCHANDS ÉTRANGERS !

192

CAR SI RAFFAELE RIARIO EST À CE JOUR LE PIRE ENNEMI DES MÉDICIS, SAVONAROLE POURRAIT D'ICI PEU DEVENIR UNE MENACE PLUS SINISTRE ENCORE !

...

ÇA... ÇA VEUT DIRE QUE LES SEULS ALLIÉS DE LA FIORENTINA SONT LE SEIGNEUR CESARE ET SON CERCLE, ALORS ?

OUI ! LES BORGIA SONT DES ARISTOCRATES, MAIS ILS SE SONT HISSÉS À CE RANG GRÂCE AU COMMERCE, COMME LES MÉDICIS ! ET PUIS, MESSIRE RODRIGO EST APPAREMMENT ASSEZ PROCHE DU PÈRE DE SON EXCELLENCE, MESSIRE LORENZO... JE PENSE QUE POUR LUI, CETTE CONCORDE EST D'UN SECOURS CERTAIN.

ON M'A EXPLIQUÉ QUE PISE ÉTAIT UNE VILLE MARITIME FONDÉE À L'ÉPOQUE ROMAINE... ET QU'AU XIᵉ SIÈCLE, LORSQU'ELLE A ÉTÉ PROMUE AU RANG D'ARCHEVÊCHÉ, ELLE AVAIT AUX YEUX DE LA PAPAUTÉ ENCORE PLUS D'IMPORTANCE QUE FLORENCE !

ET... JUSQU'À QUELLE HEURE LES FESTIVITÉS DURERONT-ELLES ?

NOUS T'AT-TENDRONS AU PALAIS, À HUIT HEURES !

HEIN ?!

TU AVAIS D'AUTRES PROJETS EN TÊTE ?

JUSQU'À QUELLE HEURE ? EN VOILÀ UNE QUESTION !

À L'AR-CHEVÊCHÉ CE SOIR, À MINUIT...

À HUIT HEURES, DONC, PALAIS DES MÉDICIS... TÂCHE D'ÊTRE PONCTUEL !

EUH... NON, RIEN DE PARTI-CULIER !

FLAP

TA DÉGAINE DE FLORENTIN RISQUE DE FAIRE TACHE, LÀ OÙ NOUS ALLONS !

JE DOIS PORTER CETTE GUENILLE ?

...

QUOI QU'IL ARRIVE, IL FAUDRA RESTER DISCRETS ! LÀ OÙ NOUS NOUS RENDONS, IL NE FAIT PAS BON SE FAIRE REMARQUER...

PARFAIT... TRAVERSONS !

ENTENDU !

LE QUARTIER DE KINZICA N'EST QU'UN VASTE RAMASSIS DE BERGES ET D'ENTREPÔTS LONGEANT LE FLEUVE...

REMPLI DE PAUVRES HÈRES EN PERDITION COMME CELUI-CI !

DIRE QUE LES ALENTOURS DE L'UNIVERSITÉ SONT SI FLORISSANTS... JE N'AURAIS JAMAIS IMAGINÉ QU'UN ENDROIT AUSSI LUGUBRE PUISSE EXISTER SI PRÈS DE NOUS !
ICI, LES TERRES SONT PLUS BASSES QUE SUR L'AUTRE RIVE. L'EAU S'ÉCOULE MAL, FAISANT DE LA ZONE UN VRAI MARAIS ! À CHAQUE NOUVELLE GROSSE CRUE, LE FLEUVE CHARRIE VASE ET BOUE... BREF, LES CONDITIONS D'HYGIÈNE SONT DÉPLORABLES !
C'EST TOUT SAUF UN ENDROIT OÙ IL FAIT BON VIVRE... LES ENTREPÔTS ET LEURS ABORDS BOUILLONNENT D'ACTIVITÉ DURANT LA JOURNÉE, MAIS À LA NUIT TOMBÉE, LES ENVIRONS SONT DÉSERTS ...
SEULS VIVENT EN CES LIEUX DES MATELOTS JUIFS ET ARABES VENUS DE L'ÉTRANGER, AINSI QUE QUELQUES PAYSANS CHASSÉS DE LEURS TERRES...

ET PUIS DES MISÉREUX, QUI ONT PRIS POSSESSION DE CES MASURES ABANDONNÉES.

IL Y A 150 ANS, UNE ÉPIDÉMIE DE PESTE A RAVAGÉ CES RUES... AUJOUR-D'HUI, ELLES TOMBENT EN RUINE !

SA MÈRE, SANS DOUTE...

MAIS POURQUOI UNE MÈRE FERAIT-ELLE...

QUOI ?!

FAUTE DE MOYENS POUR L'ÉLEVER, ELLE AURA VOULU LUI ÉPARGNER UNE VIE DE SOUF-FRANCES...

BIBLIOGRAPHIE

* SUR CESARE BORGIA

- SACERDOTE Gustavo, *Cesare Borgia*. Rizzoli, 1950.

Le dictionnaire biographique des personnages italiens, outil majeur de la recherche historique en Italie, considère cette biographie comme la plus aboutie parmi les multiples sources traitant des Borgia. La particularité de l'ouvrage réside dans le fait qu'il compile une somme considérable de documents historiques. Nombre de sources concernant Cesare, basées sur les chroniques de contemporains comme Burchard ou Guicciardini, reflètent les préventions de ces derniers et présentent une vision biaisée du personnage. Dépourvu de ce type de préjugés, le volume de Sacerdote est non seulement une source primaire permettant de saisir de façon neutre et précise la réalité historique, mais il offre également une analyse de la généalogie des biographies critiques réalisées jusqu'alors. Sa lecture nous aide à avoir une vision plus claire du contexte historique et nous laisse imaginer à quel point le portrait qu'on nous a de tout temps dressé du personnage de Cesare peut être sujet à discussion.

- WOODWARD William Harrison, *Cesare Borgia : a biography*. London, 1913.
- PASTOR L. von, *Storia dei Papi*, vol. 3. Roma, 1932.
- DIONISOTTI Carlo, "Cesare Borgia, Don Michelotto e Machiavelli" in *Machiavellerie*. Einaudi, 1980.
- MACHIAVELLI Niccolò, *Il Principe*. Einaudi, 1995.
- MACHIAVELLI Niccolò, *Il Principe*. Trad. Kawashima Hideaki. Iwanami shoten, 1998.
- MACHIAVELLI Niccolò, *Il Principe*. Trad. Sasaki Takeshi. Kôdansha, 2004.

* SUR LES AUTRES PERSONNAGES MAJEURS

- PICOTTI G.B., *La Giovinezza di Leone X*. Multigrafica Editore, 1981. (Hoepli, 1928.)
- GARFAGNINI Gian Carlo, *Savonarola e la Toscana*. Galluzzo, 1996.
- RIDOLFI Roberto, *Vita di Girolamo Savonarola* (6a edi.). Lettere, 1981.
- RIDOLFI Roberto, *Vita di Niccolo Machiavelli* (3a edi.). Sansoni, 1969.
- CHABOD Federico, *Scritti su Machiavelli*. Einaudi, 1993.
- SASSO Gennaro, *Niccolò Machiavelli*, vol. 1. Mulino, 1993.

- MORITA Yoshiyuki, *Medichi-ke* ("Les Médicis"). Kôdansha gendai shinsho, 1999.
- IKEGAMI Shunichi, *Bannôjin to Medichi-ke no seiki* ("Le Siècle de l'homme universel et des Médicis"). Kôdansha sensho "métier", 2000.
- NEJIME Kenichi, *Lorenzo de medichi* ("Lorenzo de Médicis"). Nansôsha, 1999.

* SUR LA VILLE DE PISE

- VERDE F. Armando, *Lo Studio fiorentino 1473-1503*, vol. 1-4. Firenze, 1985.

L'auteur, érudit frère dominicain originaire de Naples, a rassemblé dans cet ouvrage des sources primaires relatives à l'université pisane "La Sapienza" au xv⁰ siècle : son travail titanesque, consistant à regrouper, reconstituer et classer des documents rongés par les flammes, a rendu accessibles des listes d'enseignants et d'étudiants, des correspondances et des emplois du temps de personnages majeurs, des pièces comptables (touchant aussi à la rémunération des enseignants)... Autant d'éléments qui permettent d'avoir une idée globale relativement précise du fonctionnement de l'établissement à cette époque.

- TOLAIANI Emilio, *Forma pisarum*. Nistri-Lischi, 1979.
- BENVENUTI Gino, *Storia della Repubblica di Pisa*. Giardini Editori, 2003.
- BENVENUTI Gino, *Le Repubbliche marinare*. Newton Compton, 1989.

* Moyen Âge, Renaissance

- Abulafia David, *La Lotta per il dominio*. Lateza, 1999.
- Garin Eugenio *et al.*, *L'Homme de la Renaissance*. Trad. Ikeda Kiyoshi *et al.* Iwanami shoten, 1990.
- Asaji Keizô *et al.*, *Seiô chûseishi* (ge) : *kiki to saihen* ("Histoire médiévale de l'Europe, tome 3 : crise et reconstruction"). Mineruva shobô, 1997.
- Knowles M.D. *et al.*, *Histoire du christianisme*, tome 4. Trad. et dir. par Jôchi daigaku chûsei shisô kenkyûjo. Heibonsha, 2000.
- Kawashima Hideaki (dir.), *Italia*. Shinchôsha, 1993.
- Burke Peter, *The Italian Renaissance : culture and society in Italy*. Trad. Morita Yoshiyuki et Shibano Hitoshi. Iwanami shoten, 2000.
- Labande Edmond-René, *L'Italie de la Renaissance*. Trad. Ôtaka Yorio. Misuzu shobô, 1998.
- Kabayama Kôichi, *Sekai no rekishi 16 : runessansu to chichûkai* ("Une histoire du monde, vol. 16 : la Renaissance et la Méditerranée"). Chûô kôron shinsha, 1996.
- Nagata Yûzo, Haneda Masashi, *Sekai no rekishi 15 : seijuku no isurâmu shakai* ("Une histoire du monde, vol. 15 : l'apogée de la société islamique"). Chûô kôron shinsha, 1998.
- Egawa Atsushi, Iwanami Kôza, *Sekai rekishi 8 : Yôroppa no seichô* ("Cours d'histoire du monde, vol. 8 : l'essor de l'Europe"). Iwanami shoten, 1998.
- Saitô Hiromi, *Chûsei kôki italia no shôgyô to toshi* ("Commerce et villes dans l'Italie de la fin du Moyen Âge"). Chisen shokan, 2002.
- Hasebe Fumihiko (dir.), *Chûsei kan–chichûkai–ken toshi no kyûhin* ("Le Sauvetage économique des villes des bords de la Méditerranée au Moyen Âge"). Keiô gijuku daigaku shuppankai, 2004.
- Icher François, *La Société médiévale*. Trad. Kuramochi Fuminari. Hara shobô, 2003.
- Mollat du Jourdin Michel, *L'Europe et la mer*. Trad. Fukasawa Katsumi. Heibonsha, 1996.
- Rösener Werner, *The Peasantry of Europe*. Trad. Fujita Kôichirô. Heibonsha, 1995.
- Kawahara Atsushi, *Chûsei Yôroppa no toshi sekai* ("L'Univers urbain dans l'Europe médiévale"). Yamakawa shuppansha, 1996.
- Horikoshi Kôichi, *Chûsei Yôroppa no nôson sekai* ("L'Univers rural dans l'Europe médiévale"). Yamakawa shuppansha, 1997.
- Suzuki Tadashi, *Yôroppa no yôhei* ("Les Mercenaires d'Europe"). Yamakawa shuppansha, 2003.

* Histoire culturelle, histoire du commerce et des industries

Chapitre 1 : - Verger Jacques, *Les Universités au Moyen Âge*. Trad. Ôtaka Yorio. Misuzu shobô, 1979.
- Yokoo Takehide, *Chûsei daigaku toshi he no tabi* ("Voyage à travers les cités universitaires du Moyen Âge"). Asahi shinbunsha, 1992.

Chapitre 2 : - Benporat C., *Feste e banchetti, convivalita' italiana fra tre e quattrocento*. Olschki, 2001.
- Ikegami Shunichi, *Sekai no shokubunka 15 – Italia* ("Cultures gastronomiques du monde, vol. 15 : l'Italie"). Nôbunkyô, 2003.
- Montanari Massimo, *La Culture gastronomique italienne*. Trad. Yamabe Noriko et Kido Teruko. Heibonsha, 1999.
- Bugialli Giuliano, *La Cuisine italienne*. Trad. Nagasaku Tatsumune et Asano Kazuko. Shinchôsha, 1987.
- Parker Geoffrey, *The Military Revolution: Military Innovation and the Rise of the West, 1500–1800*). Trad. Ôkubo Keiko. Dôbunkan shuppan, 1995.
- Gravett Christopher, *Knights at tournament*. Trad. Suda Takerô. Shin kigensha, 2003.
- Davis Caroline, *The Kingdom of the horse*. Trad. Bekku Sadanori. Tôyô shorin, 2005.
- Clutton-Brock Juliet, *Horse power – a history of the horse and donkey in human societies*. Trad. sous la direction de Sakurai Kiyohiko. Tôyô shorin, 1996.
- Yamano Kôichi, *Sarabureddo no tanjô* ("La Naissance des pur-sang"). Asahi shinbunsha, 1990.

Chapitre 3 : - Mintz Sydney W., *Sweetness and power : the place of sugar in modern history*. Trad. Kawakita Minoru et Wada Mitsuhiro. Heibonsha, 1988.

Chapitre 5 : - Tsunoyama Sakae, *Tokei no shakaishi* ("Histoire sociale des horloges"). Chûkô shinsho, 1984.

Chapitre 6 : - Takahashi, Tomoko, *Sutegotachi no runessansu* ("Les Orphelins de la Renaissance"). Nagoya daigaku shuppankai, 2000.
- Takahashi Tomoko, *Rojiura no runessansu* ("Les Ruelles sombres de la Renaissance"). Chûkô shinsho, 2004.

CESARE, vol. 1
© 2006 Fuyumi SORYO. All rights reserved.
First published in Japan in 2006 by Kodansha Ltd., Tokyo.
Publication rights for this french edition arranged through Kodansha Ltd., Tokyo.

original design by ariyamadesignstore

Édition française

Traduction :
Sébastien Ludmann

Adaptation graphique :
Clair Obscur

ISBN : 978-2-35592-507-8
Dépôt légal : mars 2013
Achevé d'imprimer en Italie en mars 2014 par L.E.G.O.